동행

서대문 50+ 커뮤니티 반올림

2024

동행 서대문 50+ 2024년 커뮤니티 활동 공모사업

발 행 | 2024년 7월 26일
저 자 | 강혜경 민병희 박정순 신경숙 양창병
편 집 | 조경희
표 지 | 박순우
펴낸이 | 한건희
펴낸곳 | 주식회사 부크크
출판사등록 | 2014.07.15.(제2014-16호)
주 소 | 서울특별시 금천구 가산디지털1로 119 SK트윈타워 A동 305호
전 화 | 1670-8316
이메일 | info@bookk.co.kr

ISBN | 979-11-410-9511-6

www.bookk.co.kr

동 행

강혜경
민병희
박정순
신경숙
양창병

서대문 50+ 커뮤니티 반올림
2024

발간사

'커뮤니티 반올림'이 진행하는 글쓰기 수업에 참여하실 분들이 얼마나 있을까 걱정했습니다. 설렘과 기대 속에 준비하며 새로운 만남을 기다렸습니다. 첫날 열세 분이 오셨고 마지막까지 다섯 분이 함께하셨습니다. 누가 누구를 가르치고 배우는 시간이 아니라 함께 하는 시간이었습니다.

참여하신 분들이 누구인지, 어떤 삶을 살아 냈는지를 함께 돌아보았습니다. 여행하신 유럽, 중국, 남미 심지어 아프리카 대륙에서의 감동과 환희의 순간들을 함께 추억하였습니다. 마음속 깊이 묻어 두었던 가족 이야기 속에서 미움과 사랑, 그리움을 꺼내어 함께 반추하였습니다. 그동안 뚜벅뚜벅 걸어왔던 길들을 되짚어 보았으며 앞으로 걸어갈 길에 대한 기대와 희망도 함께 그려보았습니다.

불과 한 달여의 짧은 기간에 이 모든 것들을 해냈고 마침내 「동행」으로 결실을 보게 되었습니다. 모두의 노력으로 만들어진 '문집'이기에 더 큰 자부심을 느낍니다. '예비 작가님'들의 성실함과 열정이 없었다면 불가능했을 것입니다. 강의와 퇴고 그리고 지원에 정성을 다해주신 「반올림」 작가님들의 헌신에도 감사의 마음을 전합니다.

커뮤니티 반올림 회장 문준환

목차

강혜경

'처음처럼'
이 말처럼 마음이 설레는 순간이 있을까?
글을 쓰고 싶어 두드린 50+ 서대문 강좌. 기대 이상
이었고, 세상에! 이제 책도 내주신다고 한다. 처음이
다. 갑자기 마음이 웅장해진다. 그리고 감사드린다.

부초 같았던 학창 시절
잊을 수 없는 아찔했던 순간
연예인 신애라를 좋아하는 이유
같으면서도 다른 수학여행
가지 않은 길

부초 같았던 학창 시절

나는 초등학교 시절에 여섯 번, 중학교 시절에 두 번 전학하며 전국의 학교를 순례하듯이 다녔습니다. 그러다 보니 초등학교와 중학교 졸업앨범이 없을 뿐만 아니라 그 시절의 추억을 공유할 친구도 없습니다. 직업군인이셨던 아버지의 전출 명령에 따라 우리 가족은 전국 곳곳의 생활을 섭렵하였습니다. 양구에서 시작하여 인제, 춘천, 원주, 대구, 부산, 서천, 목포, 대전..., 그리고 마지막 정착지 서울까지.

이렇게 이야기하면 사람들이 공통적으로 하는 질문이 있습니다.

"그럼 초등학교를 1년에 한 번씩 전학 다닌 거야?"라고 묻습니다. 그렇다면 졸업앨범이 있었겠지요. 어느 곳은 1년 6개월 만에 또 다른 곳은 1년 만에 전학을 갔습니다. 최악은 졸업을 3개월 앞두고 갑자기 가게 된 전학이었습니다. 앨범 사진을 찍은 상태였는데 갑자기 전학을 가게 되었고, 애석하게도 전학 간 학교에서는 이미 졸업 앨범 사진 촬영이 끝난 상태였습니다. 중학교 졸업 무렵에도 초등학교 졸업 때와 동일한 상황이 벌어졌습니다. 그래서 내가 갖고 있는 졸업앨범에는 내 사진은 없고 낯선 친구들 사진만 가득합니다. 시험을 보았지만 아직 결과가 나오지 않은 상태에서 전학을 간 경우도 있었습니다. 전학 간 새로운 학교에서는 시험이 끝난 상태라 전 과목 '미'를 받았습니다. 물론 제가 그 이상의 점수를 받을 수 있었을지를 확신할 수는 없습니다만.

"그래도 제주도까지 가지는 않았잖아?"라고 말하는 사람도 많았습니다.
물론 아버지의 근무지에 제주도는 없었지만, 부모님 고향이 제주도입니다. 아버지는 검은 모래로 유명한 삼양 해수욕장 근처에서, 어머니는 제주항이 있는 건입동에서 사셨습니다. 초등학교 때 외갓집에서 1년 정도 생활했습니다. 그 당시만 해도 제주도는 화장실과 돼지우리가 같은 곳에 있었습니다. 외갓집 화장실은 2층 구조로 계단을 올라가서 볼일을 보았는데 밑에 돼지가 있어 너무 불편했습니다. 우리 집 화장실은 평지에 있었지만 거적문을 열면 돼지가 눈을 동그랗게 뜨고 쳐다보고 있어 불안했던 기억이 새롭습니다. 제주도는 천지사방이 바다인지라 하루 종일 물에서 놀았습니다. 그러다 보니 자연스럽게 사람을 구할 정도의 수영실력을 갖게 되었습니다. 제가 두 번이나 사람을 구한 일화는 지금도 저의 유일한 자랑거리입니다.

초등학교 5학년 때 생긴 중증 신우염으로 고등학교 2학년에 완치될 때까지 불편한 생활을 감내해야 했습니다. 짧게는 일주일 길게는 한 달씩 결석할 때가 잦아, 친구들과 가깝게 지낼 수가 없었습니다. 그런 이유로 앨범도 없고 추억도 없는 부초 같은 학창 시절을 더욱 외롭게 보냈습니다. 내가 다닌 고등학교는 그 당시에는 보기 드문 남녀 공학인데다 부모님이 군인이나 경찰인 자녀들만 입학할 수 있었습니다. 부모님의 계급이나 사회적 위계 때문인지 물과 기름 같은 분위기가 형성되어 있어 고등학교의 낭만을 즐기기가 어려웠습니다. 다행스럽게도 대학과 사회에서 좋은 친구들을 만났습니다. 이제는 그 친구들과 속 깊은 이야기를 나누면서 생활하고 있습니다. 그래도 초. 중. 고등학교 친구들과 즐거운 추억을 만들지 못했다는 아쉬움이 아직도 가슴 한구석에 남아있습니다.

전국을 돌아다니는 성장 과정이 나쁜 것만은 아니었습니다. 생활습관과 말, 문화가 각기 다른 곳에서 살다 보니 지역이나 사람에 대한 편견이 끼어들 여지가 없었습니다. 짧은 시간에 새로운 환경과 새로운 사람에 적응하는 능력이 자연스럽게 생겼습니다. 교사 생활을 하면서 이런 역량은 제자들과 소통하는데 큰 자산이 되었습니다. 다만 새로운 곳에서 빠르게 적응하려 애쓰다 보니, 떠나온 곳과 사람을 되돌아볼 여유가 없었습니다. 본의는 아니었지만 한번 헤어지면 다시 연락을 하지 않는 것이 습관처럼 굳어졌습니다. 친구도 추억도 그저 주어지는 것이 아님을 깨닫고부터는 좋은 과실을 얻기 위해 농작물

을 돌보는 농부의 마음으로 사람들을 대하고 있
습니다.

잊을 수 없는 아찔했던 순간

내 인생의 전환점이 되었던 일생일대의 사건. 돌이켜 생각해보니 최악이었지만, 삶과 사람에 대한 나의 인식을 변하게 만들어 준 최고의 순간이었다.

큰아들을 낳고 두 달 정도 지난 12월의 어느 겨울 아침. 방학하는 날이기도 했고 저녁에 부부 동반 모임도 있어 미용실에 들러 머리를 손질하기로 하였다. 평소에는 잘 입지도 않던 롱 홈드레스를 차려입으며 부산을 떨었다. 당시에 살고 있던 단독주택은 2층에 살림집과 지하에 연탄 보일러실이 분리되어 있어 연탄불 관리가 여간 번거로운 게 아니었다. 연탄을 갈기 위해 2층과 지하를 오르내리는 것은 상당히 귀찮은 일이었

13

고 연탄구멍을 맞추는 것도 신경 쓰이는 일이었다. 아궁이에 연탄 3개의 구멍을 연이어 맞추기가 쉽지 않았고, 짧은 시간 안에 구멍을 맞추지 못하면 연탄가스 흡입으로 인한 불쾌감과 어지러움은 물론 심하면 졸도할 가능성도 있기 때문이었다.

미용실에 가기 위해 집을 나서면서 연탄불을 점검하는 것을 잊고 있었다는 생각이 퍼뜩 들었다. 서둘러 지하실로 내려갔다. 아궁이 속 연탄 3개 중 2개가 아직 활활 타오르고 있었다. 새 연탄으로 갈기에는 조금 이르고 그냥 두자니 저녁에는 불이 꺼질 것 같은 어중간한 상태였다. 잠시 망설이다가 아깝지만 두 눈 질끈 감고 갈기로 하였다. 붙어 있는 연탄 3개 중 맨 위 한 장을 칼로 떼어내 아궁이에 다시 넣고 나머지 두 개는 버려야만 했다. 메케한 연탄가스 냄새 때문에 코를 쥐고 구멍을 맞추느라 끙끙대고 있는데 갑자기 다리 아래가 뜨거워지기 시작하였다. 몸을 앞으로 수그리고 작업을 하는 통에 홈드레스 끝자락이 뒤에 놓아둔 연탄에 닿아 불이 붙어 버린 것이었다. 두 발을 동동거리며 불을 끄려 했으나 여의치 않아 허둥거리며 마당에 있는 수도로 달려갔다. 아뿔싸! 겨울이라 수도는 꽁꽁 얼어있었다. 그 순간 나도 모르게 소리를 지르면서 불 붙은 옷을 벗어 버렸다. 얼마나 소리를 질렀던지 앞집 부동산 아저씨가 도둑이 들어온 줄 알고 담을 넘어오셨다. 그분의 도움으로 불은 이내 꺼졌지만 너무 놀라 부끄럽다는 생각조차 못 했다. 양쪽 허벅지 뒷부분이 빨갛게 부풀어 올라 화끈거리고 머리카락 일부가 타누린내가 진동했다. 그나마 화상 부위가 그 정도에 그친 것은 단단히 입고 있던 내복 덕분이었다.

곧바로 병원에 갔다. 화상 부위에는 이제 물집이 생기고 통증도 처음보다 심해졌다. 화상 상태를 살펴본 의사는 전문병원에 가는 것이 좋겠다고 하였다. 수소문 끝에 청와대 근처 화상전문병원을 찾았다. 흉터도 안 남고 근육을 살려 걷는데 지장이 없도록 해주는 병원이라고 했다. 병원에 들어서자 여기저기서 비명 소리가 들렸다. 의사는 치료를 시작하기 전에 애 낳는 것보다 더한 고통일 거라고 겁을 주었다. 침대에 엎

드리자 손과 발을 가죽 벨트로 묶었다. 액체 소독약을 뿌리더니 화상 부위를 벗겨 내기 시작했다. 말로 표현할 수 없는 고통이 뒤따랐다. 의사의 말이 허언이 아니었다. 치료받는 동안의 고통도 심했지만 치료 후 10시간 정도 지속되는 고통은 정말 견디기 힘들었다. 당시에는 요즘처럼 고통을 줄여주는 약이 없었다. 궁여지책으로 처방해 주는 수면제가 전부였다. 모든 고통을 온몸으로 오롯이 받아낼 수밖에 없었다. 물론 나 혼자 견딘다고 했지만, 그것을 지켜보는 가족들의 고통 또한 적지 않았을 것이다. 그나마 내가 해줄 수 있는 것은 가족들의 잠자는 시간을 지켜주기 위해 오전 일찍 치료를 받는 것이 전부였다. 이런 치료를 이틀에 한 번씩 총 10번을 받았다. 친정아버지 차 뒷좌석에 엎드려 병원 가는 길도 고행이었다. 고통스런 치료를 받고도 두 달 정도는 제대로 걷지도 못하고 1m 거리 화장실을 가려 해도 결심에 결심을 해야 겨우 기어서 갈 수 있었다.

병원에서는 전기밥솥에 손을 넣어서 손가락 일부가 붙어버린 아기의 숨 끊어질 듯한 울음소리, 아파트 마당에서 모닥불 쬐다가 석유 난로가 터지면서 전신 화상을 입은 아저씨의 울부짖음을 들으면 진저리가 절로 처졌다. 병원을 오가며 차창 밖으로 보이는 사람들의 걸음걸이가 너무나도 부러웠다. 그동안 내가 얼마나 편안하고 감사한 삶을 살았는지를 절감했다. 그날 이후 장애를 갖고 있는 분들을 더욱 배려하게 되었고, 사람을 대하는 마음이 부드러워지고 관대해졌다. 세상을 보는 눈과 마음가짐이 확 달라졌음을 스스로 느낄 정도였다. 화상 입은 딸 간호에, 손자 돌보기, 사위 식사까지 챙기시느라 고생하신 친정어머니께 깊은 감사를 드린다.

30년이 지난 지금도 소방차 소리가 들리면, 순간적으로 가슴이 쿵쾅거리면서 간절하게 기도하게 된다. '제발 화상을 심하게 입지 않게 해주세요.' 화상을 입었던 그때, 정말 괴로운 시간들이었지만 이 사건 '때문에'가 아니라 '덕분에' 마음이 성장할 수 있었다. 인생의 전환점이 되었던 최고의 순간이었다.

연예인 신애라를 좋아하는 이유

고등학교 선생님이셨던, 우명미 선생님! 보고 싶습니다!

돌아가신 선생님을 그리워하다, 선생님의 딸인 탤런트 신애라를 좋아하게 되었다. 국어선생님인 우명미 선생님과는 고2 때 담임선생님으로 만났다. 선생님을 원래 좋아했지만, 더욱더 존경하게 된 사건이 있었다.

수학 시간, 우리 반은 정적에 휩싸였다. 너무 무섭고 안하무인인 수학 선생님이 불같이 화를 내셨기 때문이다. 그 선생님은 항상 1부터 50번 숫자가 붙어 있는 바둑돌 50개가 든 주머니를 들고 수업을 들어오셨다. 칠판을 4등분 한 다음 무작위로 주머니에서 번호를 뽑았고 호명된 학생들은 나와서 수학 문제를 풀어야 했다. 조금이라도 주춤거리거나 문제를 못 풀면 여지없이 몽둥이로 등을 때리셨다. 수학 시간은 공포의 시간이었다. 일주일에 4번, 수학 시간이 되면 모두 긴장하면서 수업을 들었다.

맨 앞자리에 앉은 나는 등을 한차례 맞은 친구가 반항하다가 심하게 선생님께 발로 짓밟히는 모습을 바로 앞에서 목격하게 되었다. 나는 무서워 이가 부딪칠 정도로 많이 떨고 있었다. 숨소리도 들릴 정도로 조용한 수업 시간에 부딪히는 소리가 날까 두려워 손으로 입을 꽉 잡았고 움직이지 않도록 턱을 괴고 있었다. 그 모습을 본 선생님이 "어디서 건방지게 턱을 괴고 있느냐?"며 뺨을 다섯 차례 때리셨다. 얼마나 세게 맞았는지 눈앞이 캄캄했고 같이 공부를 하고 있던 친구들한테 창피하다는 생각이 들어 어찌할 바를 몰랐다. 남녀공학이라 남학생들도 있었다. 남아 있는 수업을 제정신이 아닌 상태로 들었다. 뺨을 너무 세게 맞아서 양 볼에 손가락 자국이 그대로 남아 있었고 볼은 퉁퉁 부어있었다.

종례에 들어오신 우명미 선생님께서는 상황을 다 알고 계셨다. 내 얼굴을 가만히 보시더니 딱 한 마디 하셨다.

"우리 혜경이가 그럴 애가 아닌데, 오해하셨나 보다!"

"왜 턱을 괴고 있었는지 물어보셨으면 좋았을걸."

담임선생님의 이 말씀 한마디에 참았던 눈물이 마구 흘러내렸다. 나를 믿어 주신 거니까. 그 한마디로 내 마음은 괜찮아졌다. 손가락 자국이 선명한 퉁퉁 부은 얼굴. 이런 모습이 다른 사람 눈에 띄는 게 싫어서 도서실에서 공부하다 완전히 어두워졌을 때 귀가했다. 당연히 엄마가 보시고 난리가 났지만 나는 괜찮다고 계속 엄마한테 이야기했다. 그때부터 선생님이 더욱 좋아졌다.

수학 시간 사건 이후에 결심했다. 당시 나는 다른 꿈을 꾸고 있었지만, 만약에 교사가 된다면 학생이 어떤 잘못을 했더라도 반드시 학생에게 왜 그랬는지 물어보겠다고, 그리고 뺨은 절대 때리지 않겠다고 다짐했다. 얼굴에 손을 대는 건 자존심 문제라고 생각하기 때문이다. 나중에 교사가 되었을 때 이 두 가지는 꼭 지켰다.

또 우명미 선생님은 한글 전용 세대여서 한자를 제대로 읽을 줄 모르는 우리에게 노트를 나눠주셨다. 일주일에 두 번씩 노트 한편에 신문 사설을 붙이고 다른 한편에 사설 내용을 요약하고 한문은 그 뜻을 쓰고, 우리 생각을 반드시 두세 줄 써올 것을 말씀하셨다.

그 약속을 안 지켜도 뭐라 하시지 않았지만, 항상 부드러운 목소리로 "무엇이든 흡수할 나이에 지금 그렇게 하는 게 나중에 많은 도움이 될 텐데!"라는 말씀만 반복하셨다.

그 약속을 잘 지킨 학생 중의 한 명인 나는 한자 사용에 불편함이 없게 되었고 선생님의 말씀이 무슨 의미인지를 나중에야 깨닫게 되었다. 교사는 학생들에게 어떻게 살아야 하는지를 가르쳐 주시는 분이다. 본을 보여주신 우명미 선생님을 잊을 수가 없다.

너무나 고마운 우리 선생님. 암에 걸리셔서 일찍 돌아가셔서 더 애틋하다.

선생님이 학교에 가끔 데리고 오던 귀여운 딸이 탤런트 신애라 임을, '사랑을 그대 품 안에'라는 드라마가 유명해지면서 알게 되었다.

선생님의 딸인 그녀가 나오면 찬찬히 보게 된다. 선생님과 많이 닮았고 국어 선생님이신 엄마처럼 발음이 명확하고 어휘 구사력이 우아하기 때문이다. 우리 선생님은 따님보다 더 미인이라고 생각될 정도로 상당한 미모를 지닌 멋있는 분이셨다. 특히 별처럼 빛나는 맑은 눈은 매력적이었다. 서울대 국문과 출신인 그야말로 재색이 겸비된 분이라고 소문이 났었다.

지금도 TV에서 그녀가 나오면 가족들이 나를 부른다.
"엄마! 신애라 씨 나와!"
돌아가신 선생님을 보는 것 같아 그녀가 점점 더 좋아진다.

같으면서도 다른 수학여행

나는 고등학교를 마칠 때까지 수학여행을 제대로 다녀본 적이 없다. 건강이 좋지 않아서였지만 잦은 전학으로 시기가 맞지 않았던 경우도 있었다. 하지만 교사 생활을 하면서 경주 아홉 번, 설악산 다섯 번 그리고 제주도 일곱 번, 모두 스물두 번의 수학여행을 다녀왔다. 아마도 내 친구들 중 누구보다도 수학여행을 가장 많이 다녀온 사람이 바로 나일 것이다.

교사가 경험하는 수학여행은 학생들이 느끼는 여행과 확연한 차이가 있다. 학생들에게 여행은 즐거움이지만 교사에게는 즐거움보다 부담이 더 크다. 많은 인원들을 안전하게 인솔하여 여행을 마쳐야 한다는 부담감이 크고, 여행을 준비해야 하는 일 또한 만만치 않기 때문이다. 수학여행지에 대한 사전답사는 매우 중요하지만, 빠듯한 출장비와 사전 답사로 진행하지 못한 수업일수를 나중에 채워야 하는 것은 부담이다. 2014년 제주도 수학여행 준비과정은 여러 가지 면에서 가장 기억에 남는다.

제주도 사전답사에는 교사 대표인 나, 교감 선생님, 학부모 대표 두 분, 행정실장까지 총 5명이 가게 되었다. 숙소와 방문지, 교통편 그리고 이동 경로에 있는 위험요소들을 모두 파악해야 하기 때문에 새벽에 출발하여 저녁 늦게 돌아오는 빡빡한 1박 2일 일정이었다. 돌아와서는 세부적인 여행계획을 작성하여 학교운영위원회의 심사를 받아야 했다. 이런 과정은 교통편과 숙소 예약 때문에 1년 전에 이루어졌다. 운영위원회 회의는 여러 사람들의 의견과 이해관계가 각기 다르기 때문에 합의점을 찾기가 쉽지 않았다. 이 또한 담당교사인 내가 감당해야 하는 부담이었다.

최대 쟁점은 교통편이었다. 학부모 운영위원들

은 경비 절감을 위해 비행기보다 배로 이동하기를 원했다. 배는 비행기에 비해 요금이 훨씬 저렴하고 오후 10시에 승선해서 그다음 날 6시에 도착하기 때문에 하루 숙박비가 절감되는 장점이 있다. 그 당시에는 배로 이동하는 학교도 많았다. 하지만 제주도가 고향인 나는 배가 유사시에 훨씬 위험하다는 것을 체험적으로 알고 있었기에 적극적으로 반대했다. 다행히 학부형들이 나의 설득에 수긍하여 비행기로 가기로 결정되었다. 하지만 학부형들은 비행기로 가되 저가항공으로 이동할 것을 요구했다. 당시 2학년 재학생 200명에 인솔교사 30명을 합하면 230명의 대규모 인원이 이동해야 하는 상황이었다. 교육부 지침에 따라 학생들을 한 번에 이동시키는 것이 금지되어 있었기 때문에 150명씩 30분 간격으로 네 번에 걸쳐 이동하는 번잡하고 수고로운 과정을 피할 수 없었다. 저가 항공은 비용을 절감할 수 있지만 여객기가 작아 대규모 인원이 이동하는 데는 적절치 않다고 생각했다. 난기류나 강풍을 만나 위험한 상황이 처해지면 어린 학생들의 동요로 이어져 위험할 수 있기 때문이었다. 물론 너무 소심하고 불필요한 걱정 아니냐고 불평하는 사람들도 있었지만 어린 학생들을 책임져야 하는 교사로서 작은 위험이라도 최소화하는 것이 책무라고 믿었다. 항공사도 신형에다 무사고 기종을 보유하고 있던 대한항공을 고집하였다. 비용보다 안전이 중요하다는 나의 신념에 학부형들이 따라준 것에 지금도 감사한 마음이다. 수학여행비가 부담되어 가지 못하는 학생들을 위한 교육청 지원도 확보한 상태여서 기분 좋게 운영위원회를 마쳤다.

그런데 바로 그다음 날인 4월 16일, 세월호 참사가 일어났다. 참사 여파는 컸다. 인근 고등학교가 일주일 전에 배로 제주도 수학여행을 다녀왔는데 세월호 사고 지점에서 배가 5분간 기울어져서 있었다는 흉흉한 소문이 들렸다. 친구가 단원고 학생이었던 아이들도 있었다. 토하고 밥도 제대로 먹지 못하는 학생들이 속출했다. 학생들의 동요로 한동안 수업이 힘들 정도였다. 아마도 우리 일이 될 수도 있었다는 두려움과 동질감이 크게 작용했던 것 같다. 행정지원을 위해 단원고에 파견되었던 교사들은 학교 운동장에서 수시로 치러지는 노제를 지켜보면서 한

26

동안 잠을 이루지 못했다고 하였다. 운영위원회에 참석했던 교사들과 학부형들이 찾아와 고맙다고 연신 고개를 숙였다. 내 의견에 따라 안전한 결정이었다는 기쁨보다 씁쓸함에 가슴이 아려왔다.

만약 내가 세월호에 있었다면 어찌했을까? 아마도 선장 지시에 따라 학생들을 배에서 기다리라고 했을 것 같았다. 자신이 옳다고 생각해서 한 말과 행동이 전혀 다른 결과를 가져올 수 있다는 것, 그 결과가 돌이킬 수 없이 참담할 수 있다고 생각하는 것만으로도 끔찍했다. 교직을 천직으로 알았고, 사랑스러운 제자들과 생활이 행복했고 그래서 승진을 안 해도 끝까지 평교사로 남고 싶었다. 교사는 어찌해야 하는가? 혼란스럽고 견디기 어려웠다. 이듬해 2월 나는 명예퇴직을 신청했다. 그래서 사전답사를 다녀왔던 그 수학여행을 아쉽게도 나는 갈 수가 없게 되었다.

가지 않은 길

어릴 때부터 만화가가 되고 싶었다.
친구도 별로 없던 나는 조용히 혼자서 할 수 있
는 일을 좋아했다. 무엇보다 만화를 그리는 그
순간은 너무 행복했다.

먼저 스토리를 생각한 다음 공책에 칸을 나누어
그림을 그리고 말풍선에 글을 썼다. 이렇게 완
성한 만화를 망설이고 망설이다가 친구 몇몇에
게 보여주곤 했다. 반응이 꽤 괜찮아서 기분이
좋았고 더욱 만화 그리기에 몰두했다. 그러다
소재도 바닥나고 말풍선에 짧게 들어갈 글들이
잘 안 써졌다. '다른 만화가들은 어떻게 했지?'
하는 궁금증에 동네 만홧가게를 매일 들락거렸
고 늦은 밤까지 만화에 빠져있었다.

또 막히기 시작했다. 정말 순수하게 말풍선 말을 잘 쓰기 위해 학교 도서관에서 책을 열심히 읽었다. 그러다 보니 공부를 등한시해서 성적은 우리 반 55명 중에 37등을 했다.

그 당시에 인문계 고등학교의 진학이 불가능한 상태였다. 맏딸의 성적을 확인하신 부모님은 난리가 나셨다. 그럼에도 나는 만화가가 되고 싶은 꿈을 포기할 수 없었다. 하지만 내 꿈을 들으신 부모님은 단칼에 반대하셨다. 일단 공부를 해야 한다는 엄명이 떨어졌다. 중학교 3학년 4월부터 정말 열심히 공부했다. 방학이 끝나고 치른 시험에서 학급 6등을 했고 10월 시험에서는 2등으로 올라섰다. 성적이 급속도로 상승하다 보니 부정행위를 의심하신 선생님께서는 시험 볼 때 내 주변의 좌석 배치까지 다시 보셨다고 했다. 전학을 가서도 모의고사에서 우수한 성적을 거두었고 무난히 인문계 고등학교에 입학할 수 있었다.

성적이 오를 수 있었던 것은 공부를 열심히 한 것도 있지만 무엇보다 풍부한 독서량이 바탕이

된 것 같았다. 고등학교 배치 고사에서 학급 1등을 하면서 공부하는 게 신이 났고 자연스레 만화가의 꿈은 잊게 되었고 교직에 발을 내디뎠다.

학교에서 34년을 근무하다 명예퇴직한 지금. 다시 만화가의 꿈을 꾼다. 그런데 아무것도 준비된 것이 없는 나 자신을 보고 많이 반성했다. 이 상태로 만화를 그릴 수 있을까? 꾸준한 자기 연마가 필요하다. 글쓰기, 연필 스케치, 색연필로 그리기, 그림책 읽기 등을 배우면서 다시 꿈을 꾼다.

'가지 않은 길' 만화가에 대한 미련이 아직도 나를 붙잡는다. 늦었을까 생각이 들긴 하지만 지금이라도 다시 시작해야 하고 싶은 것을 하지 못했다는 후회가 남지 않을 것이며 미래를 향한 내 몸과 마음도 건강해질 것 같다.

민병희

글을 쓴다는 건 내겐 아주 특별한 일이었다. 더욱이 나 나 자신에 대해 표현한다는 건...,
그래도 이제 시작했으니 아주 멀리 가고 싶다. 내 친구가 된 셈이다. 그것도 내 절친이..., 아주 멀리 같이 가련다.

새롭게 도전하는 나
이쁜이와 고집통이 엄마
손주와 함께 신화의 나라로
길

새롭게 도전하는 나

난 사람이 참 좋다. 좀 더 정확하게 말하자면, 사람을 만나 교류하며 배우는 것을 좋아한다. 그래서 사람들이 많은 곳을 일부러 찾아다니기도 한다. 어디든 상관없다. 다음은 이런 내 취향의 '완결판'이라 할 수 있을 것이다.

"나 모델 될 거야!" 나의 폭탄선언에 함께 있던 친구가 기겁을 한다. '그 나이에 무엇을 한다고?' 하는 표정이다. 억양을 조금 낮춰 설명에 들어갔다. 시니어 모델 코스에 대해. 그리고 다음과 같이 내 출사의 변을 마무리하였다. "내가 걸어다니면 사람들이 다 날 쳐다볼 거 아니야, 우아하게 걷는다고." 친구는 여전히 뜨악한 표정이나, 입으로는 "그래, 참 너다운 결정이다."라고

34

하였다.

곧바로 시니어 모델 학원을 수소문하기 시작하였다. 내가 선택한 곳은 대중교통을 이용하여 한 시간 반 이상이 걸리는 먼 거리에 위치한 학원이었다. 오가는 것만도 쉽지 않은 고난의 길에 스스로 들어선 것이다. 첫 시간, 스무 명의 동급생들이 동그랗게 앉았다. 모두 들 나름의 매력과 미모가 출중하다. 앞에 앉은 남자분, 눈이 마주치자 눈웃음으로 인사한다. '웬 남자가 싱겁게 웃지? 이상한 사람도 있네.' '잘못 온 거 아니야? 내 귀한 시간 버리고.' 갑자기 후회와 불안감이 스멀스멀 올라왔다.

그런데 바로 그분이 선생님이었다. 아주아주 열심히 그리고 우렁찬 목소리로 가르치는 열정맨. 선생님의 열정에 비례하여 나의 고난 곡선도 수직 상승하였다. "병희 쌤, 앞을 봐요!" 나름 우아하게 걷고 있는 나에게 선생님은 괄괄한 목소리로 야단친다. '소리까지 지를 필요는 없잖아.' 속으론 투덜거리면서도 활짝 웃으며 대답한다. "네~ 선생님." "병희쌤, 손을 오므리고 걸어요." 지적과 호통에 끝이 없다. 내 뜻과 상관없이 몸의 움직임이 자유자재다. 이내 온몸이 경직되고 통증이 엄습한다. "다 병희쌤을 위한 거니까 오해하지 말아요." 옳은 말인 건 알겠는데 '병 주고 약 주나.'라는 생각에 기분이 별로다.

그래도 집에 오는 길은 발걸음이 가볍고 신난다. 버스를 타지 않고 지하철역까지 일부러 걷는다. 선생님이 가르쳐 주신대로 어깨 펴고, 배 집어넣고, 허벅지에 힘주고, 가장 중요한 고개 들어 좀 멀리 앞을 보면서 활기차게 걷는다. "하~안나, 하~안나"를 콧노래처럼 읊조리며 행복하게 배운 것을 반복하는 연습시간이다. 하루는 헬스 트레이너가 말했다. "회원님, 걸을 때 뵈니까 어깨가 많이 펴지셨어요." "아! 그래요, 모두가 선생님 덕분이죠. 감사해요." 모델 수업에 대해서는 말하지 않았다. 그동안의 노력이 보상이라도 받은 것처럼 기분이 좋았다. 가만히 있으려 해도 칭찬받은 어린아이처럼 입꼬리가 올라가는 것은 어쩔 수 없다. 벌써 7개월 전의 이야기다.

난 알고 있다. 내 갈 길이 아주 멀고도 험하다는걸. 어깨는 아직도 동그랗게 굽어 있다. 신경 쓰지 않으면 고개는 잘 익은 벼 이삭처럼 숙여진다. 힘에 부치면 안짱다리가 되어 걷기도 한다. 하지만 내 사전에 포기란 없다. 인디언 기우제처럼 될 때까지 계속해서 연습하고 또 연습할 것이다. 그게 바로 시니어 모델을 향해 한발 한발 나아가고 있는 나 '민병희'다.

이쁜이와 고집퉁이 엄마

나는 아주 오래전부터 식구가 많은 걸 좋아했다. 아이는 최소한 3명, 그래서 가족은 5명, 거기다가 같이 사는 다른 식구를 합하면 일곱 식구는 되어야 이상적이라고 생각했다.

어렵게 제왕 절개 수술로 세 살 터울로 딸과 아들, 두 아이를 낳았다. 그때 수술을 집행하신 의사 선생님은 말씀하셨다.

"이제는 임신은 절제하시는 게 좋습니다. 또 낳는 건 태아에게도 산모에게도 어려운 일이 될 수 있습니다."

그러나 다시 임신이 되자, 그래도 아기를 낳기로 강행했다. 그래서 우리 식구는 다섯이 되었다,

"참 예쁘네. 오뚝한 코에 갸름한 얼굴."
아기를 낳고 수술에서 깨어난 내게 맨 먼저 들려준 남편의 아가 사랑이다. 그러자 임신 전 어느 날 밤 꿈이 생각났다. 내 손가락에 누군가 유난히도 반짝이는 빨간 보석 반지를 끼워주었던 꿈. "보석 반지네, 참 이쁘다." 꿈에서 내가 혼자 했던 말이다. 그래서 막내딸의 아명은 날 때부터 내게 '이쁜이'가 되었다.

다섯 살이 되던 어느 날 유치원에서 돌아온 이쁜이는 갑자기 식구들에게 선언했다.
"난 커서 의사가 될 거야, 수술하고 가르치는 의사 선생님 말야." 식구 모두 조금은 어안이 벙벙해 쳐다보는데 이쁜이는 강조했다.
"진짜라니까!"라고.

자라면서 유난히 운동신경이 발달했던 이쁜이는 기계체조 선생님의 제안도 스케이트 선생님의 간곡한 조언도. "난 의사가 될 거야." 한마디로 끝내 버리곤 했다. 고등학교 선택에 관한 중 3 담임 선생님의 다른 제안도 거절했던 이쁜이는 지금 본인의 목표대로 의사가 되어있다. 현재

두 아이의 엄마이다.

어느 날 병원 로비에서 우연히 자신의 학생들과 걸어가는 '이쁜이'를 만났을 때, 나는 거의 자동으로 "이쁜아" 하고 불렀다. 큰 소리는 절대 아니었다. 본인 이외는 아무도 못 들었을 거다. 소리는 거의 내지 않았으니까. 그때 눈이 마주치며 "네"하고 입을 움직이는 이쁜이의 표정이 약간 당황스러워 보였다.

내 예상대로 퇴근길에 우리 집에 들른 이쁜이는 조심스럽게 내게 부탁한다.
  "엄마, 이제 제발 사람들 앞에서 날 '이쁜이'라고 부르는 거 끝내주세요."

  "생각해 볼게." 난 대답했다.
  "생각만 하지 마시고요."

그래도 난 바꿀 생각은 없다. 내 막내딸은 언제나 내겐 귀여운 '이쁜이'일 따름이니까.

"손주와 함께 신화의 나라로"

"그리스로 간다." 나와 단둘이 세상을 보러 떠나는 초등학교 6학년 손주의 환성이다. 우린 하늘이 유난히 맑은 10월 어느 날 서양 역사의 근원지를 찾으러 "그리스와 터키"로 향했다. 공항에 나온 손주의 엄마인 딸은 걱정스러운 표정을 감추지 못하고, 내 남편은 딸의 그런 표정에 응원군이라도 만난 것처럼 못마땅한 얼굴을 감추지 않았다. 난 '너무 걱정 하지마.'라고 말해주고 싶기도 했지만 아무 말 없이 손주를 앞세워 씩씩하게 탑승장으로 향했다.

"이스탄불"이다. 화려하고 웅장한 소피아 궁전을 관람하고 나오는데, 고대 역사에 흠뻑 빠져있는 손주는 비잔틴 문화와 거기에 곁들여 이슬

람 문화까지 장황하게 설명한다. 자기의 영웅은 "세상을 정복한 알렉산더 대왕"이라며 우쭐댄다. 난 미소 지으며 들었다. 처음으로 예쁜 손주와 다정히 얘기하며 여행하는 즐거움은 말로 표현하기가 쉽지 않을 만큼 컸다.

우리는 "트로이 목마"를 꼭 보고 싶다는 손주의 요구대로 트로이로 향했다. 오디세우스의 멋진 전쟁 이야기를 손주는 신나게 설명하면서 트로이 앞바다도 꼭 봐야 한단다. 난 신화는 그냥 얘기일 뿐이라고 말하고 싶었지만, 웃으며 고개도 끄덕이고 맞장구도 쳐주었다. 트로이의 폐허와 초라한 목마를 보고 아이는 "겨우 이거야? 시시하네."라며 실망한 눈빛이었다. 신화 속 상상과 다른 현실에 실망하는 아이가 조금은 안쓰러웠다.

다음 행선지는 카파도키아, 열기구 타는 곳이다. 초기 기독교인들이 박해를 피해 들어와 버섯 모양의 바위에 구멍을 뚫고 생활했던 곳 괴뢰메 마을은 인간의 한계가 어디까지인지 놀라울 따름이었다. 하늘에 풍선처럼 둥둥 떠다니는 열기구를 보고 "와~ 쩐다."라고 환성을 지르며 방방 뛰는 이 아이는 신화와 역사를 꿰고 있어도 아직은 어린애인건 틀림없다. 파란 하늘을 배경으로 열기구 안에서 내려다본 카파도키아의 벌판과 바위들은 감탄을 자아내기에 충분하였다.

그다음은 에게해를 건너 그리스 아테네로 향했다. "그리스와 터키는 마치 우리나라와 일본과 같은 사이다. 서로 역사와 영토 문제로 다투기도 하지만 협력하며 발전해 나가기도 한다"는 것을 아이에게 들려주었다.

밤이 되어 거대한 바위산에 빛을 발하며 웅장하게 서 있는 아크로폴리스의 풍경은 경이롭다 못해 신비로움 그 자체였다. 어둠 속에서 공중에 떠있는 듯한 파르테논 신전을 보며 손주는 꿈이라도 꾸는 듯 그 밤에 갈 수 있느냐고 물었다. 하지만 처음으로 보는 할머니의 걱정스러운 표정에 이내 "지금은 피곤하니 내일 아침에 가자."고 하였다. 아이 답지 않은 배려심에 기특한 마음이 들었다,

다음날 아침 우리는 인간의 도시에서 신의 도시 아크로폴리스에 올랐다. 전쟁의 여신, 아테나를 기리기 위해 세워진 여러 신전 중에서 아이가 유독 관심을 보인 것은 니케 신전이었다. 니케는 "승리의 여신"이라고 자랑스럽게 설명을 하던 손주가 갑자기 발을 높이 들었다. 신고 있던 나이키 신발의 부메랑 같은 로고를 보여주며 "할머니 봐, 난 "니케 여신"의 상징을 신고 있어."라고 하였다. 아이 덕분에 나이키가 니케의 영어식 발음이라는 것을 알게 되었다.

마지막 여행지는 그리스인들이 세상의 배꼽이라고 믿었던 델포이. 손주가 물었다. "델포이의 신탁에 대해서 아세요?" "알기도 하고 모르기도 한다."는 내 대답에 손주는 어젯밤에 자지 않고 읽었던 델포이의 신탁에 대해 신이 나서 설명해 주었다. 그리스 신탁의 성지 아폴론 신전과 델피 박물관에서 소크라테스를 만났다. 아이는 그가 말한 "너 자신을 알라."를 안다면서 왜 그런 말을 했는지 궁금해했다. 난 당시의 정치 상황을 간단히 설명한 후 그 말은 델포이 신전에 새겨진 글귀로 소크라테스가 감명받아 자신의 좌

우명으로 삼았다고 말해주었다. 손주는 맞은편에 멀리 보이는 신들이 산다는 올림포스산에 가보고 싶어 했다. 더 이상의 여행은 무리라는 생각에 "다음을 위해 남겨 두자."며 아이를 달랬다.

돌아오는 비행기에서 손주는 내게 속삭였다. "할머니 난 자라서 역사학자가 될 거야." "그러고 싶어? 네가 좋아하면 그렇게 해." "할머니가 엄마에게 얘기해줘?" "응." 이내 잠든 아이의 평안한 모습을 나는 물끄러미 바라보았다. 어릴 적부터 사물에 대한 끊임없는 호기심과 강한 집중력을 보였고 늘 책 읽기를 좋아했던 이 아이가 원하는 분야에서 우뚝 서게 될 날을 상상하는 기쁨을 혼자 만끽하였다.

길

내게 길은 누군가가 알려준 길을 내가 가는 것이다. 손을 잡고. 그리고 그 길을 다시 내 아이들에게 가게하고 또 손주들이 가고 그리고 그다음 계속해서 가는 것.

내 기억 속 어린 시절, 우리 집에는 아주아주 많은 책이 있었다. 심심할 때마다 난 그 책들을 읽었다. 책 읽는 습관 그것은 부모님이 주신 가장 큰 유산이다. 그렇게 난 책 속의 사람들을 만났다.

내 아이들이 어릴 때 두 돌이 지나기 전에 가장 먼저 데리고 간 곳이 도서관이었다. 나는 아이가 책을 즐겨 읽는 것을 보며 흐뭇해하곤 했다.

그다음엔 손주들 차례다. 손주들이 두 돌이 되기 전에 맨 먼저 도서관에 데려갔다. 광화문에 있는 '서울 시립 어린이 도서관'에 들렀다 올 때면 교보 문고에 들려 장난감과 사탕도 하나씩 사주었다. 그 덕인지 우리 식구는 모두 '책벌레'가 되었다.

두 해 전쯤이다. 난 아이들에게 조심스럽게 제안했다.

　"우리 Book Club 하나 만들자."
　"Zoom으로 한다. 셋째 일요일 아침에."

싫다고 하면 어쩌나 했지만 머뭇거리는 아이들에게 그냥 밀어붙였다. 3년이 지난 지금까지도 우린 매달 계속하고 있다. 상당히 많은 책을 읽었다. 처음엔 바쁘다고 빼던 큰딸도 적극적으로 참여한다. 기쁘다. 그리고 고맙다.

우리 BookClub의 이름은
"Bookworms Parade (책벌레들의 행진)"이다.
세계 여러 곳에 나가 있는 아이들과 책을 통해

서 한 달에 한 번 만난다. 그리고 우리는 각자 자기 근황을 다정하게 들려준다. 얼마나 행복한지 모른다. 이번 달엔 지난 일요일 7시에 Parade가 열렸다.

책 제목은 "이처럼 사소한 것들" 아일랜드 작가 "클레어 키 간"이 지은 단편 소설이다. 1시간 동안의 토론과 연이은 자신들의 근황에 대한 이야기는 내 행복을 배가 시켜준다.

이제 몇 년 후면 "Bookworms Parade"에 손주들이 합류할 것이다. 이렇게 나는 부모님이 열어 준 '책을 읽는 길'을 내 자식들과 손주들에게 전했다. 그리고 그렇게 대를 이어 손주에서 손주에게로 계속 이어지기를 소망한다. 이 길이 아주 멀리멀리 갈 거라는 걸 안다. 그게 바로 우리 식구들이니까.

박정순

어릴 때부터 책을 좋아했습니다.
심심하면 책을 읽었고, 힘든 일이 생기면 책에서 답을 얻기도 했습니다. 젊었을 때는 책의 홍수 속에서 책이 싫어지기도 했습니다. 그래서 가끔 책을 멀리하고 어떤 작가들을 혐오하기도 했습니다. 이제 나이가 드니 책에 대한 애정이 생겼고 또 책도 내게 되었습니다. 이 책이 버려지지 않기를 바랍니다.

나는 누구인가?
자식들의 취업전쟁
존경스러운 최고의 어른 아버지. 그리고 어머니
나의 '피스코 샤워'
가지 않은 길

나는 누구인가?

나는 강원도 춘천에서 2남 2녀의 둘째 딸로 태어났다. 고향이 춘천이지만 부모님 두 분이 교사였기 때문에 영월, 원주 등 강원도 내 여러 곳을 이사 다녔다.

어려서는 잦은 병치레로 부모님께 근심을 안겨 드리고 손이 많이 가는 허약한 아이였다. 돌 무렵 폐렴에 걸려 사경을 헤매다 인근 군부대의 도움으로 군 항공기를 타고 큰 병원으로 간 일도 있었다고 하였다. 말을 곧잘 하게 된 두 살 무렵에는 헛것이 보이기도 하였다. 자다가 벽을 보고 "엄마 저기 귀신이 있어."라고 소리를 질러 부모님을 놀라게도 했다. 벽에 걸린 옷이나 창밖에 나무들이 벽에 드리운 그림자를 보고 놀라는 나를 재우기 위해 당시 만삭이었던 엄마는 밤새 잠을 못 자고 앉아서 나의 상태를 지켜보셨다고 한다.

중. 고등학교 시절의 나는 소극적이고 말이 없는, 책을 좋아하는 아이였다. 부모님이 삼성출판사인가에서 나오는 명작 전집 100권을 집에 사놓으셨는데, 그 책을 다 읽은 형제들은 나밖에 없을 정도로 독서광이었다. 그래서 나는 하교하면 항상 안방에 엎드리거나 누워서 책을 읽곤 하였다.

부모님의 자식 사랑은 민주적이었고 당시로서는 혁신적이었다. 특히 아버님은 자식들이 무슨 잘못을 해도 그저 말없이 지켜보며 스스로 깨닫도록 기다려 주시는 분이었다. 네 자녀 중에서 유난히 나를 사랑해주고 예뻐해 주셨는데, 지금 생각하니 내가 몸이 좀 약해서였던 것 같기도 하다. 나는 여자임에도 집안일 대신 아버님 곁을 맴돌며 수다 떨고 아버님과 의견도 주고받으며 즐거운 시간을 보냈다. 이런 아버님의 전적인 사랑과 지지로 점차 나와 완전히 다른 의견

53

을 가진 사람과도 솔직하게, 그리고 논리적으로 차분하게 대화할 줄 아는 사람으로 성장했다.

낯선 여러 도시를 전전하며 소극적이었던 나의 성격도 점차 적극적으로 자신의 의견과 감정을 표현하는 아이로 성장하였다. 처음 만나는 사람과의 대화도 두려워하지 않는 성향도 생겼다. 아마도 꾸준히 쌓아온 독서량 그리고 부모님의 따뜻한 사랑과 지지 덕분이었다는 생각에 감사한 마음이다.

원주에서 고등학교를 졸업하고 서울에서 시작한 대학 생활은 내 삶의 황금기였다고 감히 말하고 싶다. 많은 볼거리와 다양한 사람들의 모습은 새로움의 연속이었고, 또 다른 발견이었다. 나는 화사한 불빛과 사람들로 넘실대는 거리를 아무 생각 없이 어슬렁거리며 걷는 것이 참 좋았다. 뭐니 뭐니 해도 대학 생활의 낭만은 동아리 활동과 기숙사 생활이었다. 전국 각지에서 온 친구들이 보여주는 다른 문화와 삶의 방식은 다름을 알고 존중하는 계기가 되었고. 그들과의 대화와 토론은 새로운 성장의 동력이 되었다. 당시에는 몰랐지만 지금 생각하니 그때가 인생의 절정이었던 것 같다.

나는 말이 별로 없는 조용한 아이였는데도, 이상하게 고민을 얘기하는 친구들이 내 주변에는 많았다. 그 애들의 문제를 해결해 줄 능력이 나에게 없었지만, 다만 고민과 걱정을 들으면서 같이 울고 웃고 공감하고 격려해주곤 하였다. 잘 들어주고, 들은 것을 절대로 그 누구에게도 발설하지 않았던 나의 태도가 친구들의 입을 트게 만든 동인이 아니었을까 추측해 본다. 이런 성향이 아직도 있어서인지 요즈음에도 주변 사람들이 고민을 말하곤 한다.

몇 년 전에 정년퇴직하며 인생 제1막을 마무리하였다. 오랫동안 반복해서 해오던 일을 갑자기 중단하게 되니 인생 제2막에 대한 준비가 전혀 되어 있지 않았음을 실감하고 있다. 내가 좋아하는 것이 무엇이고 하고 싶은 일이 무엇인지를 잘 모르겠다. 그래서 서두르지 않고 그저 편안하게 이것저것을 배우면서 자신을 들여다보려고 한다. 이 동네 저 동네 어슬렁거리며 돌아다니기, 새로운 것들 배워보기, 하고 싶었지만 여러 가지 이유로 못 했던 것에 도전해보기, 해외에서 한 달 살기 등을 하면서 조금씩 나 자신을 알아가고 있는 중이다.

얼마 전 TV에서 '나의 마지막 집은 어디인가'라는 프로그램을 보았다. 우리는 모두 늙어 돌봄을 받다 어딘가에서 죽게 된다는 내용의 다큐멘터리였다. 나는 요양원이나 호스피스 병동이 아닌 지금 살고 있는 집에서 삶을 마감하고 싶다. 조금은 쓸쓸하고 씁쓸한 느낌이 들기도 하지만 마지막 소망으로 꽤 괜찮다는 생각이다. 이를 위해 오늘도 활기차고 희망차게 하루를 시작한다.

자식들의 취업전쟁

'부모의 자식 걱정에는 끝이 없다.'라는 걸 실감하고 있다. 부모는 자식과 같이 아프고, 같이 걱정하고, 같이 행복해하는 반사적 행동이 DNA에 내재 되어있는 것 아닌가 하는 생각이 들기도 한다.

대학생들의 취업난이 매우 심각하다는 기사를 볼 때마다 마음이 심란했는데, 우리 딸은 졸업과 동시에 쉽게 취업이 되어 여간 다행히 아니었다. 게다가 이런저런 적응기를 거쳐 입사 2년만에 '연구원'이라는 직책에 승진할 수 있는 기회까지 주어졌다. 딸은 그 자리에 대한 열망을 숨기지 않았다. 사장님에게 그런 자신의 의사를 밝혔음은 물론 스스로도 자신이 그 직책에 적임

자라는 확신을 갖고 있었다.

애석하게도 승진심사 결과는 딸의 바람대로 되지 않았다. 문제는 능력 이전에 학력이었다. 연구원이 되기 위해서는 석사 자격이 전제라는 회사의 지침을 딸은 모르고 있었던 것이다. 기대하는 바가 크면 그에 비례하여 실망도 큰 법. 딸의 상심이 생각보다 심각하였다. 현실적인 한계를 경험한 딸은 진로에 대해 고민하는 눈치였다. 며칠간의 어두운 분위기를 애써 떨쳐버리기라도 하듯 하루는 딸이 단호한 어조로 말했다. "엄마, 회사 그만두고 공무원 시험공부 하고 싶어요." 나는 선뜻 판단이 서지 않아 주변 사람들에게 물어봤다. 누구 하나 예외 없이 모두가 반대하였다. "공무원 시험공부 하느라 세월만 보내고 취직 못 한 애들이 얼마나 많은데요." "무조건 안 된다고 해요." 하지만 나는 고심 끝에 딸을 믿어보기로 하였다.

처음 6개월은 무난하게 지나갔다. 새로운 길을 찾아가는 딸이 안쓰러워 나의 불안이나 힘든 것은 뒷전이었다. 딸이 먹고 싶다는 것이 있으면

바로 만들어 주고, 필요하면 사다 주기도 하며 뒷바라지했다. 시작 6개월 만에 첫 공무원 시험이 있었다. 하지만 결과는 불합격. 스멀스멀 불안이 올라오기 시작하였다. 어찌해야 할지 몰라 또다시 주변 사람들에게 물어봤다. "너무 편하면 안 돼요. 절박해야 돼. 슬슬 압력을 가해요." "스트레스를 줘야 열심히 해요." 그동안 지켜본 딸의 행동으로 볼 때 타당해 보이기도 하는 조언이었다. 난 딸의 요청을 조금씩 거절하기 시작했다. 원하는 것을 해주면서도 "너는 절박함이 없어." "네가 뭐 먹고 싶다고 전화를 하면, 엄마는 짜증이 나."라고 의도적으로 타박을 하기도 하였다. 이런 말에 충격을 받아서인지 아니면 자극을 받아서인지 몰라도 딸은 더 열심히 공부하는 듯했다.

1년의 세월이 흘러 다시 공무원 시험에 응시하는 날, "그동안 열심히 했으니 최선을 다해!"라고 격려하며 시험장까지 운전해서 데려다주었다. 결과 발표 전날, 나는 티브이를 보고 있었고, 딸은 컴퓨터를 하고 있었다. 컴퓨터에서 뭔가를 본 딸이 갑자기 울기 시작했다. 가슴이 철

렁했다. 딸이 울면서 말했다. "엄마 나 합격했어요. 발표 전날 미리 공고가 났는데 내 이름이 있어요." 우리는 같이 울었다. 나는 아직 공식발표가 아니니 더 기다려보자고 했다. 조심조심. 드디어 발표날, 합격공고가 정식으로 났다. 눈물이 났다. 그동안 딸의 노력과 고통의 크기에 비례하여 큰 기쁨과 행복을 안겨준 최고의 순간이었다.

아들은 요즘 잘 나간다는 '컴퓨터공학'이 전공인지라, 취업에 대한 걱정을 하리라고는 상상조차 하지 않았다. 그러나 착각이었다. 아들이 취업하고 싶어 하는 회사와 아들을 채용하겠다는 회사 사이에 간극이 있었다. 아들은 수도 없이 이력서를 제출하고 계속되는 면접에 응했지만, 도무지 합격 통보가 오지 않았다. 아이는 점차 불안해하기 시작했고 그 불안은 고스란히 나에게 전달되었다. 이력서 50개는 보통이고 심한 경우 100개를 썼다는 것이 뉴스에만 나오는 일인 줄 알았는데, 나에게 닥친 현실이었다. 막막했다.

우여곡절 끝에, 고대하던 합격 통보를 받은 아

들은 의욕에 넘쳐 회사에 출근하였다. 그러나 그런 기쁨은 잠깐이었고 어느 순간부터 아들이 점점 우울해지기 시작했다. 과도한 업무량과 매일 같이 지속되는 야근. 아이는 지쳐 갔고, 좀처럼 나아질 것 같지 않은 현실에 절망하였다. 꾸역꾸역 버텨 내는 시간의 부작용은 고도 비만으로 나타났다.

어느 날 아들이 출근하는 중에 전화를 했다. "엄마 나 이 회사 그만둘래요." 딸의 힘든 이직 과정을 아직도 생생하게 기억하고 있던 나는 아들의 처지에 대한 고려 없이 "응 그래? 엄마는 좀 더 생각해보라고 말하고 싶어." 상투적이고 배려심 없는 말에 아들은 갑자기 울컥하는 목소리로 말했다. "엄마랑 대화하기 싫어요." 아들의 말에 놀라, 뭐라 변명하려는 순간 전화는 이미 끊어졌다. 아이가 얼마나 힘들었으면 그런 결정을 내렸을까 하는 뒤늦은 후회와 미안함에 마음이 착잡했다.

아들 또한 힘든 이직 과정을 거쳐 이제는 자율적인 근무 분위기와 안정적인 복지가 제공되는 회사에서 만족스럽게 근무하고 있다. 시간적 여유도 생긴 아들이 여자 친구 만날 생각도 하고, 결혼도 생각하는 걸 보며 아들의 이직을 강하게 반대했던 나 자신을 되돌아본다. '왜 이직을 반대했을까. 아들의 의견을 좀 더 잘 들어줄걸.' 하는 생각과 함께 평생직장을 주장했던 나의 의견이 항상 옳은 것은 아니라는 것을 깨닫는다. 한 우물을 파면서 무조건 참고 양보하고 기다리는 것을 미덕으로 삼았던 우리 세대에 비해 요즘 젊은이들은 자신의 욕구와 취향에 맞지 않으면 기다리기보다 그런 직장을 찾아 과감하게 이직하는 것 같다. 그렇다고 하여 그들의 삶이 기성세대에 비해 덜 치열하고 덜 충실한 것이 아니라는 것을 믿음직한 아들을 통해 알게 되었다. 또 다른 최고의 순간이었다.

존경스러운 최고의 어른 아버지. 그리고 어머니

아버지를 생각하면 늘 가슴이 따뜻해지면서 나 자신을 더 존중하고 사랑하게 된다. 아버지가 나를 사랑하고 존중해 주셨듯이 말이다.

아버지는 키가 176cm이신 당시에는 큰 키에 한양대 공대를 나오신 멋쟁이로, 중등교사로 재직하셨다. 엄마는 키가 자그마한 분이었다. 나보다도 작은 키로 초등학교 교사였는데, 아기자기한 예쁜 얼굴로 처녀시절에는 중매도 많이 들어왔다고 한다. 집과 학교가 서로 반대편이었던 두 분은 아버지의 적극적인 구혼으로 연애하고 결혼하셨다고 한다.

결혼하여 홀시어머니를 모신 엄마는 아버지의 은근한 지원과 사랑으로 나름 행복한 시집살이

하셨다고 했다. 아버지는 말씀이 별로 없지만 언제나 따뜻하고 정다우셨다.

엄마는 조용조용한 성격으로 부지런하고 깔끔했다. 명랑, 쾌활하고 농담도 잘하고 인자했지만 잔소리가 많았다.

엉뚱한 말이나 위험한 생각도 잘하고 게다가 가끔 못 말리는 상상도 하는 나를 늘 불안해하셨던 것 같다. 내가 엉뚱한 언행을 할 때마다 엄마는 나를 앞혀놓고 조곤조곤 교훈적인 말씀을 하셨는데, 나는 그게 참 싫었다.

엄마와의 갈등은 고2 때 최고조에 달했다. 나는 엄마가 잔소리하실 때마다 심하게 반항하고 목소리를 높이고 그 자리를 피했다. 엄마는 큰소리를 내거나 폭력적이지 않았고, 항상 침착하고 온화한 투로 얘기하셨는데… 난 왜 그 말이 잔소리로만 느껴졌는지 모르겠다. 나는 엄마가 말을 시작하려고 하면 과하게 행동하고 대들곤 했다.

어느 날 또다시 엄마에 대해 심하게 반항하는 장면을 목격한 아버지는 나에게 "산책 가자."라고 하면서 데리고 나가셨다. 나는 내심 아버지가 나를 야단치리라고 생각하고 약간 두려워하면서 따라나섰다. 아버지는 나와 함께 원주 시내를 이리저리 다니다가 포장마차로 들어가셨다.

"정순아, 뭐 먹고 싶냐? 뭐든지 먹어라."

나는 말 없이 우동이며 고기 종류를 시켜서 먹었다. 아버지는 친구들 얘기, 학교생활, 미래의 희망 등등 이런저런 일상적인 것을 물었고 나는 대답했다. 아버지는 내가 엄마에게 한 말과 행동에 대해 한마디도 안 하셨다. 나는 슬슬 마음이 풀어졌다. 분위기는 점차 좋아졌다.

포장마차에서 나와 집으로 들어가면서 아버지가 나지막이 말씀하셨다.

"엄마에게 잘해라."

나는 갑자기 조금 전에 엄마에게 내가 한 말과 행동이 생각났고, 나 자신이 너무 부끄러워 엄마에게 미안해졌다. '아! 아버지는 이 말씀을 하고 싶으셨구나.'라고 생각했다. 그 뒤로 내가 나아졌는지는 기억이 나지 않는다. 다만 아버지가 돌아가신 지금도 그때 아버지의 목소리가 또렷이 기억나고 들리는 듯하다.

또한, 아버지와 나는 정치적인 성향도 정반대였다. 일제강점기를 겪은 아버지는 보수파였고, 나는 당시 대학생들처럼 진보파였다.

아버지에게 정치적인 불만을 이야기하면 언제나 끝까지 들으시고

"음, 네 생각은 그렇구나."

이렇게 말씀하실 뿐 한 번도 내 생각을 꺾거나 무시하지 않으셨다. 그리고 조금 시간이 지나면 일제강점기에 겪었던 잔인한 일들을 얘기하셨다. 난 모든 어른들은 다 이러리라고 생각했다. 그러나 내가 어른이 되고 보니 자신과 다른 생각을 가진 사람들의 의견을 존중하고 인정하는 것이 어렵고도 훌륭한 일이라는 걸 알게 되었다.

나는 잔소리하지 않은 어른이 되겠다고 결심했다. 그런데 엄마가 되어보니, 내 방식대로 하고 싶어서, 또는 사랑이라는 미명 아래 잔소리하고 훈계하는 자신을 발견하게 된다. 아버지처럼 자식을 믿어 주고 지켜봐 주는 사랑과 하나의 인격체로 존중해 주는 마음이 참으로 어렵다는 것을 새삼 느낀다. 나는 지금에야 깨닫는다. 잔소

리가 아닌 믿음으로, 말보다는 행동으로 보여주는 사랑이 더 큰 사랑임을…. 나는 아버지보다 못하지만, 아버지의 큰 사랑처럼 지켜봐 주고 곁에서 함께 걸어가는 어른이 되고 싶다.

아버지가 늘 그립다.

그리고 엄마도 참 좋은 분이었는데, 아버지의 훌륭함에 묻혀서 또는 내 편협한 생각으로, 엄마의 소중함과 따뜻함을 제대로 깨닫지 못했던 것이 엄마에게 늘 죄송하고 그립다. 이제는 두 분 다 돌아가셔서 더욱 마음이 아리다.

나의 '피스코 샤워'

2024년 2월부터 3월에 다녀온 남미 여행은 내가 경험한 해외여행 중 단연 최고였다.

동작 50플러스에서 '남미 한 달 살기' 교육을 받았던 사람들과 의기투합하여 여행하기로 한 국가는 페루, 볼리비아, 아르헨티나, 브라질이었다. 여행 사전 모임, 미국과 볼리비아 비자 신청, 여행 물품 준비 등으로 거의 석 달간을 정신없이 움직였다.

설렘 반 두려움 반으로 준비하면서 걱정되었던 것은 체력과 풍토병 그리고 고산병이었다. 젊은 시절에는 '날다람쥐'라 불릴 정도로 등산 마니아였지만, 나이가 들면서 무릎이 안 좋아졌다. 하루에 8천보 이상을 꾸준히 걸으며 체력을 보강하였다. 병원에서 황열병, 장티푸스 등 예방접종도 받았다. 고산병에는 남미 약이 더 효과가 있다고 하여 현지에서 구입하기로 하였다. 드디어 환전을 끝으로 여행 준비가 마무리되었다. 하지만 나는 준비만으로도 거의 반 탈진상태가 되었다. 출발하기 전날, 딸이 건강하게 잘 다녀오라면서 말했다. "엄마, 이번 여행에서는 그 나라 고유의 맥주나 술을 마셔보면서 독특한 풍미를 느껴보세요." 술을 전혀 못 하는 나는 이 말이 참신하고 모험적으로 느껴졌다.

인천공항에서 출발, 미국을 경유하여 도착한 곳은 페루. 우리는 페루 전통 음식점에 들렀다. 남미의 음식점은 음식과 음료를 함께 주문하는 것이 관례라고 했다. 나는 페루 고유의 술이 무엇인지 물어봤다. '피스코 샤워'라고 했다. "저는 '피스코 샤워' 마실래요." 신나서 주문했다. 즐겁고 맛있는 식사였다.

이곳저곳을 돌아다니다가 보니 저녁노을이 지고 있었다. 저녁 식사를 위해 바닷가 유명음식점에 들어갔다. 해산물과 육류가 있는 고급음식점으로 맛과 분위기가 최고였다. 이번에는 '페루 전통 맥주'를 주문했다. 어떤 풍미도 느낄 수 없었지만, 페루 전통 맥주를 경험해야 한다는 일념으로 단숨에 마셔버렸다. 기분이 좋아져서 노래하고 웃고 떠들었다. 좁은 의자에서 팔을 이리저리 움직이다 보니 순간적으로 식탁 위에 있던 컵이 떨어져 깨졌다. 멈칫하며 당황해하는 나를 모두가 다독여주었다. 종업원까지 달려와서 괜찮은지 물었다. 난 애써 괜찮다고 했지만, 호텔로 돌아오는 발걸음이 약간 허둥거렸다. '피스코 샤워'와 맥주 덕분에 남미 여행 첫날을 기분 좋게 끝낼 수 있었다.

내가 '피스코 샤워'와 두 번째로 마주한 것은 마추픽추 여행을 위해 도착한 쿠스코에서였다. 고도 3,400m인 이 도시에서 가벼운 구토와 어지럼증, 나른함과 같은 고산병 증세가 나타나기 시작했다. 잉카의 심장 쿠스코 시내 관광에 앞서 고산병약을 먹었다. 가이드의 설명을 들으며 시내 이곳저곳을 돌아다니다 점심 식사를 위해 식당에 들렀다. 다른 사람들은 음료수를 시켰으

나, 난 또 신이 나서 외쳤다. "저는 피스코 샤워예요." 일행들이 일제히, "술 못한다면서요?" "가식적인 거 아니에요?"라면서 놀렸다.

식사를 마치고 아르마스 광장을 관람하게 되었다. 대성당에 가기 전, 가이드가 유명한 간이음식점으로 안내하였다. 간단한 샌드위치와 음료를 파는 곳이었고, '피스코 샤워'로 유명하다고 했다. 나는 또 '피스코 샤워'를 주문했다. 다 마시고 기분이 좋아서 일어나는 데 갑자기 바닥이 훅하며 내 앞으로 올라오는 것 같았다. 몸이 휘청거렸고 정신이 혼미해졌다. 넘어질까 봐 천천히 걸으며 대성당으로 향했다. 성전에 들어서는데 왠지 부끄럽고 죄책감이 느껴졌다.

나중에 알고 보니 고산지대인 페루나 볼리비아에서의 음주는 굉장히 위험한 일이고, 특히 나처럼 술을 잘하지 못하는 사람에게는 치명적일 수 있다고 하였다. 또한, 두통이나 멀미 외에 감정 기복이 심해지고 기억력이 떨어지는 것도 고산병 증상의 일종이라는 것을 알게 되었다. 우여곡절을 겪은 뒤에 다음 여행지인 볼리비아로 넘어갔다. 페루에서의 '피스코 샤워'와 전통 맥주 사건은 일행들에게는 즐거움과 놀림감으로, 나에게는 부끄러움과 새로운 경험으로 남아있다.

가지 않은 길

대학교를 졸업하고 교사 생활을 하면서 미국 유학을 꿈꾸었다.

그래서 퇴근 후에는 원어민이 하는 영어 스터디 모임에 들어가서 공부하였다. 스터디 모임에 참가했던 사람들은 거의 다 유학을 꿈꾸던 직장인들, 대학원생들과 대학생들이었다. 그들은 공부하면서 유학 준비를 했고, 하나둘 떠났다. 15명 남짓했던 인원이 최종 4~5명 남았다.

당시의 시대적 분위기는 여자가 대학 가는 것도 사치라고 여겨질 정도로 보수적이었다. 고등학교를 졸업한 대부분의 내 친구들이 그 지역 대학교로 진학했고, 좀 더 멀리 가는 경우는 춘천에 있는 국립대학교나 교대 정도였다.

부모님은 민주적이고 혁신적인 분이셨다. 그래서 자식들의 의견을 존중하여 언니와 나, 둘 다 서울에 있는 사립대로 보내주셨다. 하지만 여자 혼자 아무 연고지도 없는 미국 유학을 계획하는 내 의견에는 찬성하지 않으셨다. 아버지는 내 의견을 존중하는 분이었으므로 설득이나 야단을 치시지는 않았지만 무언의 침묵으로 반대의 의견을 암묵적으로 표현하셨고, 어머니는 특유의 조용조용한 말투로 나의 생각을 돌리려고 하셨다.

"미국에 혼자 가서 미국 사람들이 널 괴롭히면 어떻게 하니?"

"미국에 가면 숙소나 언어에 힘든 점이 많아서 적응하기 어렵다고 하더라."

"유학 마치고 돌아오면 다시 취업하거나 결혼을 해야 할 텐데 그것도 참 어렵다더라."

"결혼해야 할 나이에 유학을 떠나면 결혼은 더 멀어지는 거 아니냐?" 등등.

이렇게 조곤조곤 엄마의 의견을 말씀하셨지만 부모님 두 분 다 내게 미국 유학에 대한 경제적인 부담은 얘기하지 않았다.(지금 생각하니 그 점이 더욱 고맙다.)

나는 나대로 고민이 깊어지고 특유의 우유부단함이 다시 작동하기 시작했다. 망설이고 다시 용기를 내고, 또 두렵다가도 희망에 부풀기도 하는 사이에 중매가 들어왔다. 그리고 나는 결혼했다.

이제 나이 들어 여행을 하다 보면, 외국에 살고 있는 많은 교포들을 보게 된다. 그 나라 교수가 된 사람들, 다시 귀국해서 우리나라 교수가 된 사람들, 그 나라에서 공부와는 다른 직업을 갖게 된 사람들, 유학 생활에 적응하지 못해서 다시 돌아온 사람들. 또 가끔 궁금하기도 하다. 같이 스터디 모임을 하고 혼자 유학을 떠난 후 바로 연락 두절 된 내 여고 동창생. 그녀는 지금 어디서 어떻게 살고 있을까?

다시 나에게로 질문을 한다.
내가 그때 망설이지 않고, 특유의 우유부단함 없이, 단호하게 유학을 떠났다면 어떻게 됐을까?

가끔 이런 꿈을 꾼다.
내가 짐을 싸고 있다.
가족에게 말한다.

"이제는 확실히 결정했어요. 유학을 떠날 준비가 됐어요. 잘 갔다 올게요."

꿈속에서의 나는 망설이지 않고 흔쾌히 떠난다. 꿈에서도 가끔 나타나는 '나의 가지 않은 길'은 행복과 자유의 길이었는지, 고난과 실패의 길이 있는지…, 열심히 직상 생활하다가 퇴직하여 이제는 설렁설렁 배우고, 놀고, 여행을 다니고 있는 내게 생각나는 그리운 '가지 않은 길'이다.

신경숙

나만의 길을 걷고자 한 것을 글로 표현하고파 글쓰기 수업에 참여했다. 수업하면서 더이상 스스로를 닦달하지 말고 매사에 너무 심각하지 말고 너무 고민하지 말고 그냥 재미나게 살자로 가장 **빠른** 직선코스로 가야 한다는 강박관념에 마냥 달리기만 했다.
헌데 글쓰기를 배우면서 나 자신을 반성하고 서툰 나를 칭찬하고 응원한다.

나는 누구인가
내 생애 최고의 순간
엄마는 왜 나를 그렇게 구박했을까?
나의 길

나는 누구인가

나는 누구인가?
나는 누구인가?
몇 번을 되뇌이며 스스로에게 물어보았다.

남보다 빠르고 잘해야 한다는 욕심꾸러기
그래서 잠자는 시간도 아껴가며 늘 달리기만 했다.
하고 싶은 것에 대해 생각할 겨를도 없이
해내야만 하는 사업에 전념했다.
목적은 오로지 돈.
여유롭게 살고 싶었고 남에게 과시도 하고 싶었
다.

그래서였을까?

일에 관해서라면 격식 차리지 않았다.

한번 맺은 인연을 소중히 하는 가치관을 지키면서 솔직하게 실수를 인정하고 열정을 다해 일하였다.

인연이 인연을 불러오는 선순환 구조가 만들어졌다.

사업은 성공했고 노후를 걱정하지 않아도 될 정도의 부를 쌓았다.

이 모든 것이 내가 만난 인연들 덕분이다.

헌데

나의 이기적인 성격

뭐든 빨리빨리를 외치는 불같은 성격

투철한 근검절약 정신

시간을 황금이라 생각해 여유 없이 늘 쫓기는 조급함

오늘 할 일은 오늘 꼭 해야 하는 강박관념

나를 꽁꽁 묶어 괴롭혀 온 것들이다.

과거에 붙잡혀

새로운 꿈을 꾸지 못하고 살아가는 나

이제 품위 있는 꿈을 꾸고 싶다.

나다운 삶을 살고 싶다.
스스로를 격려하며
의미와 재미를 찾아가는
내가 되어 보련다.

내 생애 최고의 순간

지난날을 돌아봤을 때 못 해본 게 너무 많았다.
남들처럼 문제집으로 공부하고 싶었고,
학원도 다니고 싶었고, 피아노도 배우고 싶었고,
데이트도 맘껏 하고 싶었다.

나에게 주어진 삶의 주인공이 되고 싶었는데
언제나 걸림돌은 가난이었다.
가난이 지긋지긋할 정도로 따라다녔다.
도망쳐 벗어나고자 발버둥 쳤지만,
언제 그랬냐는 듯이 내 곁에 웃음 띤 얼굴로 다가왔다.

할 수만 있다면 유체이탈이라도 하고 싶었다.

가난에 휘둘리고 있는 나를 멀찌감치 떨어져 지켜보고 싶었다.
도대체 왜!!!!! 내가 감당할 수 없을 정도로 따라다니며 나에게 무슨 짓을 했는지.

오죽했으면 결혼 소개팅에서조차
인성도, 학력도, 외모도, 사고방식도 필요 없다며
돈 많은 남자만을 원했을까?

지금 생각하면 웃음이 나온다.
다행히 모든 면에서 나와는 정반대인 남자를 만났다.
지금은 그에게 "사랑해!" 하면서 사이좋게 살고 있다.

나에게 최고의 순간을 말하라고 하다면,
나는 주저 없이 지금이라고 말할 것이다.

돈 걱정 없이 살고 있고,
젊어서 하지 못했던 일들을 버킷 리스트로 작성하여
하나씩 하나씩 배우고 경험하고 즐기고 있는
지금이 나에게는 최고의 순간이다.

엄마는 왜 나를 그렇게 구박했을까?

왜!!! 엄마만 생각하면 눈물이 나는지!
그리고 왜 이렇게 마음이 아픈지.

우리 집은 위로 오빠가 있었고 그다음이 나였다
그리고 줄곧 딸만 여섯이었다.
그런데 오빠가 두 살때 세상을 떠나고 말았다.
부모님은 내가 재수가 없어 오빠가 세상을 떠나고
내가 터를 잘못 팔아 내리 딸을 낳았다고 날 미
워했다. 난 할머니랑 시골에서 지내게 되었고
부모님은 용산에 사셨다. 나만 왜 시골에서 살
게 되었는지 알수 없지만 난 늘 외로웠다.
방학이 되어 서울에 올라오면 난 완전히 왕따였다.

동생들도 날 피했고 부모님 구박도 심했다. 그래서 나는 계모가 아닌가 의심하며 살았다.

중학교를 마치고 서울에 올라온 나는 부흥사라는 봉제공장에서 가위질하며 보냈다. 난 손동작이 빨라 가위질을 참 잘했다. 부흥사에서 제일 빨랐다. 그래서인지 다른 조 언니들이 서로 날 데려가려고 했다.

부흥사 다닐 때의 내 꿈은 미싱사였다

첫 월급이 6.800원…. 그때 첫 월급으로 사 먹은 라면땅 맛은 지금도 잊을 수 없다.

황홀한 맛이었다.

엄마는 공장을 다녀 동생들 학비를 대라 했지만 난 1년 동안 번 돈으로 야간고등학교에 가기로 결심했다. 욕심 많고 공부도 곧잘 했던 나는 교복 입고 다니는 또래 아이들 볼 때마다 부럽고 내 자신이 창피해 숨었다. 결국, 엄마의 뜻을 거역하고 야간고등학교에 갔다. 오전에 한국디자인 포장센터 급사생활로 일하고 오후엔 야간고등학교를 다녔다. 그 후에는 무역회사 경리로 취직되어 오전에 일하며 야간대학교를 다닐 수 있게 되었다. 엄마에게 월급도 드리지 않고 나 혼자 알아서 고등학교. 대학교. 학원을 다니며 자격증을 열심히 땄다. 지금은 소용이 없는 주산. 부기. 타자. 서예. 속기등.

그래서 엄마는 나를 더~ 얄미워했다.

일을 마치고 학교에 다녀오면 너무 지치고 배가고팠다. 집에 오면 식구들은 저녁을 다 먹고 내음식은 아무것도 없는 경우가 대부분이었다.
그래서 늘 저녁을 굶었다. 너무너무 배가 고팠다.
그때 그 설움. 배고픔. 지금도 생각하면 눈물이 난다.
눈물. 배고픔에서도 소중함을 얻은 게 있다.

야간고등학교를 같이 다니던 내 절친이 돈 없고배고파하는 날 위해 버스정류장에 있는 튀김 가게에서 식빵 튀김, 고구마 튀김을 매일 사줬다.
그때 튀김을 밤 10시에 꾸준히 먹어 윗배가 볼록하게 나오고 절친을 얻었으니 이 또한 감사하다. 그때 먹은 튀김 덕분에 지금도 여전히 윗배가 볼록 튀어나와 있다.

난 가난이 너무 싫었고 배고픔에 진저리쳤다. 사랑이 너무 받고 싶어 항상 웃으며. 친절하려고 했다. 그래서 인사도 잘하고. 활달하게 긍정적으로 살아가려 노력했다.
오늘 비록 비참할지라도 난 돈에 노예가 되지 않고 내 길을 걷고 돈 앞에서 답이 없더라도 떳떳하고 돈에 당당해지리라 다짐했다.

난 엄마에게 묻고 싶다.

왜 날 그렇게 구박했는지?
왜 날 배고프게 했는지?
왜 나에게 청과시장에 가서 야채를 주워오게 했는지?
왜 날 한 번도 안아주지 않고 늘 내게 핀잔만 주었는지?
왜 돌아가시면서도 날 못마땅해 했는지?

엄마가 하늘나라에 가시고 내 나름 엄마를 이해
하려고 노력해도 지금도 가족과 엄마를 생각하
면 눈물이 나고 슬프다.
그래도 가난 해봤기에 악착스럽게 살고 배고픔
을 알기에 지금이 행복 하다는 걸 안다.

돈의 소중함을 일찍 깨우쳤으며 세상 살아가는
방법을 일찍 터득하고 사랑받지 못한 자의 슬픔
을 알기에 가족을 사랑하려 노력하는 신경숙이
지만 그래도 신경숙이가 너무 불쌍하고 안쓰러
워 이 글을 쓰면서도 쓰담쓰담해 준다.

왜? 내가 그렇게 구박받아야 했나요?

나의 길

유년기에 모든게 부족했다
모든 것에 목말라 했다
사랑에 목말랐고
배고픔에 목말랐고
인생숙제에 목말랐고

헌데 깨달았다
이 모든것이 나의 부족함임을

그때부터였던가~
난 돈 들이지 않고 풍족함을 깨우치기 시작 했다
모든 이들에게 밝게 웃어주고

모든 이들에게 인사 잘해주고
모든 이들에게 밝게 반겨주고
모든 이들에게 따뜻함을 주기로
그때부터였던 것 같다
나의 생활이 바뀌기 시작했다
모든게 풍족해졌다
나의 얼굴 표정도
나의 미소도
나의 목소리도
나의 걸음걸이도
모든 게 활력 있고 자신이 넘쳐나는 여성으로......,
그리고 모든일이 잘 풀렸다
가정도..., 사업도......,

이제 모든 것에 감사하며 60이 넘은 제2의 인생
을 부족함이 아닌 풍족함으로 시작해보려한다

이 아름다움..., 즐거운 이 세상......,
이 세상에 하나밖에 없는 내 얼굴
이 세상에 돈 많고 똑똑한 사람도 많지만 나라

는 사람은 신경숙뿐

이 세상에 하나뿐인 나만의 성숙한 사랑과 인생. 그런 사실을 잊지 말고 성숙하게

하루하루 충실히 살아가는 신경숙

신경숙은 참 괜찮은 사람이라고 격려하고 칭찬해주며 제2 인생의 즐거움이란 세 단어로 시작해 나만의 길을 뚜벅뚜벅 후회됨 없이 보내려한다.

부족함이 많지만 늘 열정적이고 긍정적인 신경숙을 응원하며

"넌 할 수 있다." 난 너를 응원하며 이 세상에서 신경숙 널 가장 사랑한다.

파이팅!!!

양창병

내 생애 최고의 순간
손주의 똥
노자의 계단, 천리 길도 한 걸음부터
바른길

내 생애 최고의 순간

"이젠 도저히 더 못 가겠어요." 오늘만 벌써 다
섯 번째, 나의 고통에 찬 비명소리다. "고! 뽈레,
뽈레 (Go pole, pole!)." 원정대장 토니가 힘들어
하는 대원들을 향해 명령한다. 탄자니어 말로
'천천히 천천히 가라.'는 뜻이다. 오늘은 킬리만
자로 등반 4일째로 정상을 공격하는 마지막 날
이다.

몇 년 전 케냐 수도 나이로비 신문에 나의 관심
을 끄는 광고가 실렸다. 케냐 주재 탄자니아 대
사관에서 킬리만자로 등반원정단을 모집한다는
내용이었다. 나를 포함하여 영국, 캐나다, 호주
출신 남성 여행자 8명으로 다국적 원정대가 꾸
려졌다. 킬리만자로는 조용필의 히트곡 '킬리만

자로의 표범'으로 우리에게 더 잘 알려진 아프리카 탄자니아에 위치한 휴화산이다. 해발 고도 5,895m로 아프리카 최고봉이자 7대륙 최고봉 중의 하나다. 정상은 만년설 빙하로 덮여있지만 다른 대륙의 고산들에 비해 춥지 않고 크레바스와 같은 위험도 없어 전문산악인이 아닌 일반인도 등정이 가능하다. 하지만 등정 성공률이 20~30%라고 하니 국내 설악산이나 지리산처럼 올라갈 수 있는 만만한 산은 아니다.

우리의 등반일정은 1,970m에 위치한 마랑구 게이트를 출발하여 첫날은 2,720m 만다라 산장, 둘째 날은 3,720m 호롬보 산장, 셋째 날은 4,700m 키보 산장까지 점차 고도를 높여가며 산을 오르고, 마지막 날 키보 산장을 출발하여 정상에 오른 후 하산하는 것으로 일정이 짜여졌다. 2,500m 지점을 지날 때부터 고산 증상이 나타나기 시작했다. 쉬엄쉬엄 걸어도 고산증세는 점점 더 심해져만 갔다. 고열과 두통에 더하여 엄습하는 졸음 때문에 비몽사몽 유령처럼 걸었다. 4,500m부터는 풀 한 포기 없는 황량한 사막지대, 가도 가도 끝이 없다. 제멋대로 나뒹

굴고 있는 크고 작은 돌덩어리와 화산재가 널브러져 있어 마치 화성과 같은 외계행성을 걷고 있는 착각이 들 정도였다. 눈 덮인 킬리만자로 정상이 손에 잡힐 듯 앞에 있지만, 전경을 즐길 여유가 없었다. 겨우겨우 기다시피 키보 산장에 도착하자마자 바닥에 시체처럼 널브러지고 말았다.

정상 정복을 위해 새벽 1시에 출발하였다. 날씨 변동이 적은 새벽에 등정해야 푸석한 흙이 약간 얼어있어 걷기도 용이하고, 아침 일출을 볼 수 있기 때문이다. 무엇보다도 낮 시간에 하산해야 안전을 담보할 수 있기도 하다. 영하 20도 이하 추위에 견딜 수 있는 방한복과 장비로 중무장하고 정상 공격에 나섰다. 80~90도 절벽에 가까운 경사면을 지그재그로 올라야 하는 길은 발이 푹푹 빠지는 화산재 자갈길이었다. 한 발짝을 옮기기도 힘겨웠다. 쉬다 가기를 반복했다. 심호흡으로 산소를 최대한 빨아들여야 했다. 5,000m 이상 고지에서는 평지에 비해 산소량이 20~30% 정도 부족하다. 코로 들이키고 입으로 내쉬어야 하는데 쉽지 않았다. 급경사 길 한스 마이어 동

굴 5,180m를 지나 5,685m '길만스포인트'까지
만 오르면, 정상까지는 좁고 완만한 화산분화구
테두리 길이 이어진다. 화산분화구는 지름만
6km에 달한다. 그런데 견딜 수 없는 두통과 졸
음, 무엇보다도 가슴이 터질 것 같은 통증에 구
토를 견디기 어려웠다. 갑자기 죽음에 대한 공
포감이 온몸을 감쌌다. 결국 '길만스포인트' 300m를
남겨 둔 지점에서 눈물을 머금고 포기할 수밖에
없었다. 원정대원 8명 중 나를 포함한 3명이 정
상정복에 실패하고 말았다.

그때는 정신이 없어 느끼지 못했는데, 하산하여
숙소에 도착하니 오만가지 상념이 차례로 몰려
들기 시작하였다. 킬리만자로 등정을 만방에 자
랑하고 왔는데, 당당하게 정상을 정복하여 칭송
과 인정을 받고 싶었는데 그러지 못했다는 것에
자존심이 크게 상했다. 대한의 건아로서 부끄러
웠다. 국가대표선수라도 된 것처럼 국가 위상에
누를 끼쳤다는 패배감으로 고통스러웠다. 다시
도전해야겠다고 다짐했다. 반드시 정상에서 사
진을 찍겠다고 나 자신과 약속했다.

처음부터 차근차근 준비를 하였다. 하루 한 갑씩 피우던 담배를 끊었다. 체력단련과 고도등반에 대비한 산악구보 훈련을 꾸준히 하였다. 체중이 5kg 빠졌다. 점차 체력에 자신감이 붙기 시작하였다. 드디어 1년 후 킬리만자로 등정에 다시 도전하였다. 이번에는 지난번의 실패를 딛고 그토록 원하던 5,895m '우후르피크' 빙하 정상에 섰다. 그곳에서 환호하며 대한건아의 기개를 마음껏 발산하였다. 탄자니아 정부로부터 정상등반 인증서도 받았다. 하산 후 하루 종일 정신없이 잠에 곯아떨어졌다. 그동안 짓눌렸던 패배감도 떨쳐버렸다. 인증서와 더불어 정상에서 남긴 사진은 내 생애 최고의 순간이었다.

손주의 똥

채온이 똥 쌌어요. 기저귀 갈아주세요." 반가운 아내의 목소리가 들렸다.

"오, 이쁜 똥. 똥!" 나는 재빨리 거실로 달려간다. 세 살배기 똥강아지 손자는 우리 집 보물이다. 이놈의 똥 기저귀를 갈아줄 때 나는 무한한 행복을 느낀다. 손자 녀석의 기저귀 갈기는 내가 원해서 한다. 하루에도 몇 번씩 갈아준다. 밤알 같은 똥, 묽은 똥, 된똥, 설사 똥, 염소 똥을 확인한다. 그것으로 이 녀석의 컨디션을 판단한다. 재미있다. 이 녀석의 똥 냄새는 향기롭다. 먹어도 더럽지 않을 정도로 귀엽다.

"할아버지 좋아?"라고 물어보면 잠시 생각했다가 "할머니 좋아!"라는 다른 대답을 한다. 내 순서는 할머니 다음이다. 나는 이 아이의 방긋방긋 웃는 재롱에 세상의 모든 시름을 잊는다. 이놈은 기쁨과 웃음, 행복을 준다. 울고 또 울어도 예쁘다. 온 집안을 장난감으로 난장판을 만들어도 좋다. 내 자식들 자랄 때 느껴보지 못한 사랑의 감정이 손자로부터 나온다.

최근에 아기의 삼촌 결혼식이 있었다. 아이는 신랑에게 예물을 전달하는 화동 역할을 맡았다. "화동 입장!" 사회자의 멘트가 떨어졌다.
그런데 사고가 터졌다. 출발선에 선 아이는 얼굴을 찡그리고 울상을 지었다.
"아~ 이 일을 어쩐다." 순간 바지를 들춰보니 물똥을 한 바가지나 쌌다. 기저귀를 갈 틈이 없다. 그대로 엄마 손에 이끌려 행진했다. 긴 스테이지를 뒤뚱뒤뚱, 엉거주춤 걸어서 신랑·신부에게 향했다. 꽃바구니는 무사히 전달됐다. 하객들의 우레와 같은 박수가 나왔다. 휴! 일단 순간은 모면했다. 아기 엄마는 황급히 이놈을 안고 식장을 빠져나갔다. 그러나 할아버지는 이날따라 이놈의 냄새 나는 똥이 더 이쁘고 사랑스러웠다.

옛말에 똥 꿈을 꾸면 부와 행운을 가져다준다고 했다. 좋은 날 좋은 징조다. 인도, 파키스탄 등 서남아시아에서는 소똥을 말려 귀중한 땔감으로 사용한다. 아프리카 원주민들은 소똥으로 집을 짓고 야생동물의 공격을 방어한다. 비료로 사용하여 땅을 비옥하게 만든다. 이들은 사람, 가축의 배설물을 귀중한 자원으로 소중히 채집하여 보관한다.

'똥은 쌓아두면 구린내가 나지만, 흩어버리면 거름이 되어 꽃도 피우고 열매도 맺는다.'고 한다. 다른 한편, 남을 비하 하거나 기분이 나쁠 때 풍자적으로도 쓰이기도 한다. '개똥같은 사람, 똥 밟았다. 똥바가지 썼다.' 등 부정적 표현으로 사용하기도 한다.

하지만 우리 손자의 똥은 집안에 행복한 꽃을 피우기도 하고, 예쁜 열매를 맺기도 하는 귀중한 보물이다. 가족 생일 파티에서 축하 노래가 나오면 그 애가 제일 좋아한다. 하늘을 향해 폴짝, 폴짝 뛰며 신나서 손뼉을 친다. 기저귀에 똥 싼 줄도 모르고….

노자의 계단, 천리 길도 한 걸음부터

"힘드시죠. 이것이 인생입니다." 중국 태항산 천계산 노야정으로 오르는 가파른 돌계단 옆에 서 있는 한글 푯말의 내용이다. 중국에서 만나는 한글이 반갑기도 하였고, 숨이 목에 찰 즈음에 격려 차원으로써 매우 적절한 표현이라는 생각에 중국인들의 센스가 느껴졌다.

노야정은 1,570m로 하늘과 땅이 맞닿아 있다는 천계산 정상에 자리 잡고 있다. 도교를 창시한 노자가 42년간 머물며 도를 닦았다는 곳으로 알려져 있다. 우리가 방문한 날은 뜨거운 햇빛에 온 대지가 달궈져 40도가 넘는 찜통더위 때문에 숨쉬기조차 쉽지 않은 날씨였다. 천계산 풍경구 입구에서 우리를 태운 셔틀버스는 산 중턱에 놓

인 천 길 낭떠러지 길을 아슬아슬하게 곡에 하
듯 달렸다. 창 쪽에 앉았던 아내는 무섭다며 안
쪽으로 자리를 옮겼다. 창밖에 펼쳐지는 협곡의
웅장함에 일행들이 내뱉는 탄성으로 버스 안은
시끌벅적하였다. 절벽 옆을 파내어 뚫은 불가사
의한 바위 터널, 괘벽 공로는 길이가 무려
7.5km나 되었다. 겨우 7명의 주민이 곡괭이와
정만 사용하여 15년에 걸쳐 뚫었다는 말에 모두
가 숙연해졌다. 인간의 피와 땀으로 점철된 바
위 터널을 편하게 가고 있다는 미안함에 이들의
동상을 향해 잠시 눈을 감고 감사의 마음을 전
했다. 청봉관 정류소에서 노야정 돌계단 출발점
까지는 케이블카로 이동하였다. 2인용 케이블카
가 1,000m 거리의 허공을 가르며 10분 만에 우
리를 노야정 출발점에 내려놓았다.

노야정 초입에서 정상까지 거리는 500m에 불과
하나, 888개의 가파른 돌계단을 올라야 하는 고
난도 산행이었다. 중국인들 가운데 정상까지 오
르는 사람은 많지 않다고 하였다. 우리 일행도
대부분은 포기하고 10명만 용기를 내었다. 나
야, 등산으로 단련된 몸이니 기꺼이 도전했지만

105

포기할 줄 알았던 아내가 호기롭게 나선 것은 정말 의외였다. 무리하지 말고 천천히 따라오라고 당부한 후 먼저 60도 경사의 돌계단을 오르기 시작하였다. 이내 온몸이 땀으로 범벅이 되었다. 오른지 얼마 되지 않아 아내는 현기증이 난다며 가다 쉬기를 반복하였다. 뒤따라오는 아내의 가쁜 숨소리와 "더는 못 가겠다."라는 말을 엄살이라 치부하면서도 발걸음을 늦추며 아내의 동태를 살폈다. 오르던 걸음을 멈추고 뒤로 펼쳐진 웅장한 협곡 풍광을 감상하며 아내를 돌아보곤 하였다. 무거운 발걸음으로 겨우겨우 계단을 오르던 아내가 마침내 주저앉았다. 300 계단 즈음이었다. 아내는 "토할 것 같다."라며 얼굴이 창백해졌다. 난감했다. 아내를 두고 가기도 그렇고 끌고 가기에는 너무 멀었다. 순간 사내의 결기가 발동했다. 그녀를 일으켜 세워 뒤에서 밀었다. 아내가 그렇게 무거울 줄은 상상도 못 했다. 그만두라고 투정하는 아내를 밀고 당기며 40분 만에 겨우 정상에 도착했다. 천애절벽을 따라 펼쳐지는 웅장한 협곡을 보니 중국의 '그랜드 캐년'이라는 말이 허언이 아님을 느낄 수 있었다. 발아래 구름과 안개가 휘감고 있어 천상계에 올라온 것 같았다. 우리나라 무속인들도 하늘의 영험한 기를 받기 위해 자주 방문한다는 이곳에서 복을 빌고 도를 터득하기 위해 오를만한 가치가 있는 고행이라 생각했다.

노야정 등반길이 심리적으로 더 힘들게 느껴지는 이유가 있다. 등반 도중에 고개를 들어 올려다보면, 끝없이 이어지는 아득한 계단 끝자락에 하늘이 보인다. 거기가 정상이겠지 하는 희망을 품고 올라가지만 또 다른 언덕과 계단이 나타난다. 이런 과정을 십여 회 반복하다 보면 몸은 물론 마음까지 지쳐 중도에 포기하게 된다. 어쩌면 이런 고행 속에서 노자의 도덕경에 나오는 '천 리 길도 한 걸음부터'라는 의미의 "천리지행 시어족하(千里之行 始於足下)"를 체험하며 깨달은 것이 이번 산행의 가장 큰 수확인 것 같다.

바른길

옛말에 "귀한 자식은 매 한 대 더 때리고, 미운 자식은 떡 한 개 더 준다."는 속담이 있다.

이는 자식을 키우는 도리이다. 귀한 자식일수록 버릇을 잘 가르치고, 미운 자식일수록 잘 감싸 준다는 말이다. 결국, 나쁜 길로 가지 않고 좋은 길, 바른길로 가도록 한다.

나는 자라면서 아버지께 귀가 따가울 정도로 이 말을 들었다. 아버지가 자식을 '바른길'로 가게 하는 교육이었다. 아버지는 우리 집의 풍성한 거목이었고 절대적인 권위를 가졌었다.

장손 큰집인 아버지는 대소사가 많았다. 일가,

친지들로 집안은 항상 북적였다. 집에 오는 손님에게는 다과상을 내놓으며 극진히 대접했다. 처음 뵙는 아버지 친구는 반드시 큰절로 인사했다. 4대 봉제사를 지내며 조상님을 극진히 섬겼다.

대학 다닐 때까지 잘못하면 아버지께 회초리를 맞았다. 아버지는 호랑이 보다
더 무서웠다. 철없을 때는 "아버지가 없었으면 좋겠다."고 할 만큼 아버지가 싫었다.

자식에게 부모는 거울이다. 부모가 올바른 길을 가야 자식도 올바르게 자란다. 평소 정직, 신뢰, 배려, 인성 등을 옆에서 보면서 자랐다. 자연스럽게 아버지의 바른길을 따라가게 되었다.

초등학교 시절 동네 아이들을 괴롭히는 망나니짓을 많이 했다. 하루는 같은 반 아이끼리 싸움을 붙였다. 그중 한 명의 아버지가 우리 아버지에게 항의했다. "당신 아들 때문에 우리 아이가 학교에 못 간다."며 크게 항의했다. 동구 밖에서 기다리던 아버지는 많은 사람 앞에서 회초리를 들고 기다리고 계셨다. 나의 종아리에 피가 나도

록 때렸다. 아버지는 "남에게 해를 끼치면 안
된다."며 바른길로 나를 인도했다. 당시 많은 사
람들 보기가 창피했다. 그 후로 망나니짓을 고
쳤다.

또 한 번은 우리 집에서 키우던 개가 옆집 아이
를 물었다. 큰 상처는 아니었다. 괜찮다고 거절
하는 피해자를 병원에 데리고 가서, 치료하고
광견병 검사도 했다.

그 후 이 사실을 알게 된 아버지는 크게 기뻐하
셨다. "잘했다. 지금 죽어도 안심이다. 아들을
바르게 잘 키웠구나."라며 흡족해 하셨다. 아버
지로부터 정직, 인성, 배려 등의 바른 행동, 바
른길이 몸에 배게 되었다.

세계적인 축구 스타 손흥민 선수는 평소 아버지
로부터 굉장히 엄하고 무서운 가르침을 받았다
고 한다. 아버지 손웅정 씨에 따르면, 아이는 부
모의 행동을 보고 따라간다. 인성과 사람 됨됨
이가 우선이라고 가르쳤다.

"큰 부모는 작게 될 자식도 크게 만든다. 작은 부모는 크게 될 자식도 작게 만든다. 친구 같은 아버지는 없다. 그건 직무유기다. 아이가 잘못된 부분을 고쳐야 하는데 친구끼리는 될 수 없다." 고 자서전에서 밝혔다.

이러한 아버지의 엄격한 바른길 교육이 오늘의 손흥민을 만들었다.

부모의 인성, 도덕, 행동, 솔선수범이 자식을 바른길로 이끈다. 아버지로부터 받은 바른길 교육이 자연스럽게 자녀들에게도 이어진다.
회초리 맞던 시절이 그립다.